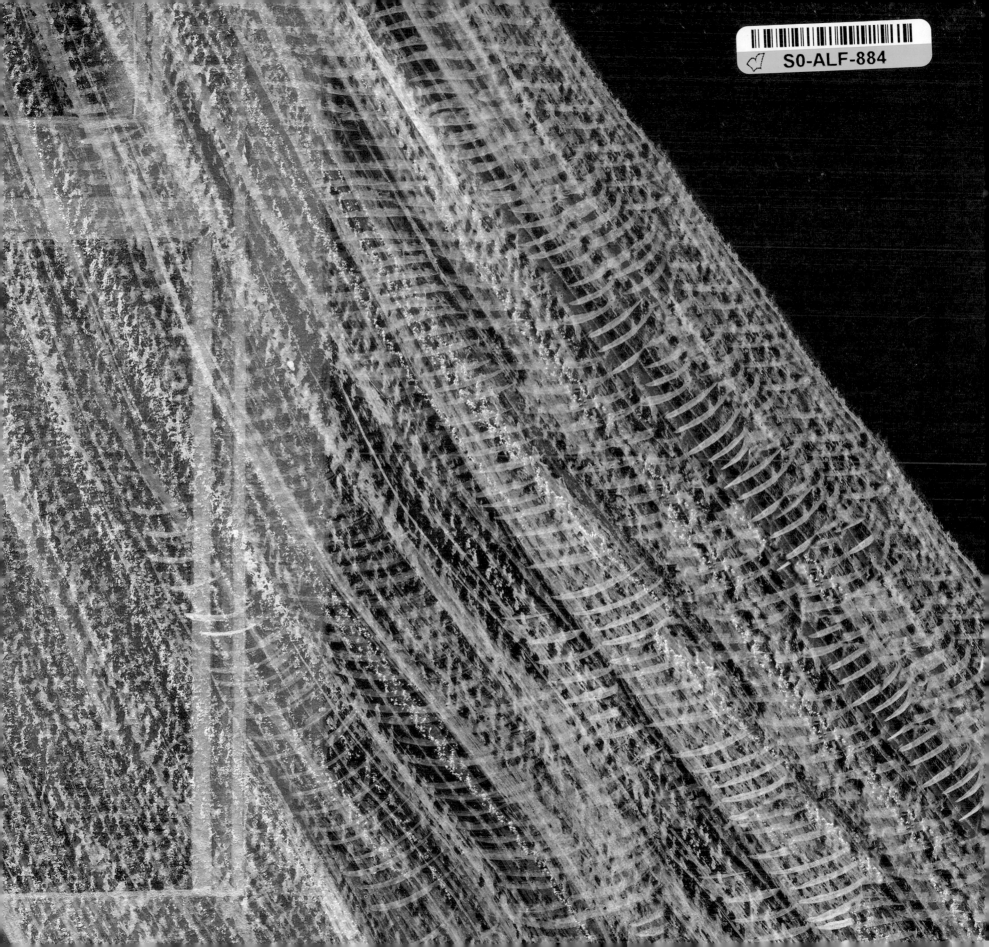

The World Champion
of Staying Awake

图书在版编目(CIP)数据

不睡觉世界冠军/(英)泰勒著;幾米绘,柯倩华
译.-北京:新星出版社,2011.11
ISBN 978-7-5133-0294-4

Ⅰ.①不… Ⅱ.①泰…②幾…③柯… Ⅲ.①图画
故事-英国-现代 Ⅳ.①I561.85

中国版本图书馆CIP数据核字(2011)第101884号

著作权合同登记号 图字:01-2011-3239

不睡觉世界冠军

(英)西恩·泰勒 著
幾米 绘 柯倩华 译

责任编辑 白佳丽 责任印制 付丽江
装帧设计 王晶华 内文制作 田晓波

出 版 新星出版社 www.newstarpress.com
出 版 人 马汝军
社 址 北京西城区车公庄大街丙3号楼 邮编 100044
电话 (010)88310888 传真 (010)65270449
发 行 新经典发行有限公司 电话(010)68423599
邮箱 editor@readinglife.com

印 刷 中华商务联合印刷(广东)有限公司
开 本 889毫米×1194毫米 1/12
印 张 4 字 数 5千
版 次 2011年11月第1版
印 次 2020年5月第21次印刷
书 号 ISBN 978-7-5133-0294-4
定 价 46.80元

不睡觉世界冠军

幾米 绘　(英) 西恩·泰勒 著　柯倩华 译

新星出版社 NEW STAR PRESS

献给 克莉斯汀
～ S. T.

献给 Roro
～ J. L.

"黛拉，晚安。"爸爸说，
"睡觉时间到了哦。"

可是黛拉怎么能去睡觉呢？
她得先把樱桃猪、霹雳鼠和豆豆蛙哄睡着呀！

"我有点不想睡觉。"
樱桃猪擤擤鼻子说。

"我一丁点都不想睡觉！"
霹雳鼠大叫。

豆豆蛙不只不想睡觉，
他一直跳、跳、跳。

"不——要——再——跳——啦！"
黛拉说，"睡觉时间到了。"

"我不要睡觉！"
霹雳鼠大叫。

"睡觉太没劲了！"

豆豆蛙叭叽跳。

"我是不睡觉世界冠军！"

樱桃猪说。

幸好，黛拉很会想办法
让他们睡觉。

于是，她把他们放在枕头上。
樱桃猪问："你可以把枕头幻想成
别的东西吗？"

"可以。"黛拉说，

"这是一条船。"

真的……

枕头船摇啊摇。

枕头船晃啊晃。

枕头船摇摇晃晃

越过大海浪。

大海里，
　船底下，
　水母、鲨鱼、海马
　围着你团团转。

快快躲进船舱里，

不怕风也不怕雨。

舒舒服服，温暖无比，

就像猫咪睡在谷仓里。

暖暖你的脚，
　暖暖你的膝，
听大海为你
　唱一首摇篮曲。

嘘，黛拉悄悄看了看。
樱桃猪睡着了。

豆豆蛙却开口问：

"水母是水的妈妈吗？"

霹雳鼠也大叫着：

"不睡觉世界冠军其实是我！"

黛拉叹了一口气："到底要怎么样才能让你们两个睡觉？"

"送我们礼物、玩具、鞭炮，还有腊肠披萨！"霹雳鼠提议。

"现在不是说那些东西的时候啦！"
黛拉对他们说，"现在你们应该
把眼睛闭起来。"

"我的眼睛闭起来了，
可是我的脚还很清醒啊！"
豆豆蛙很有精神地大声说。

于是，黛拉把他们
放进鞋盒里。

霹雳鼠问："你可以把盒子
幻想成别的东西吗？"

"可以，"黛拉说，
"这是一辆火车。"

真的……

不管天气多么冷，
　雨下得多么大，
温暖干爽的午夜火车
　准时出发！

银闪闪的车轮，
　在铁轨上轰隆隆转，
奔驰在山谷间，
　去了又来、去了又来。

唧嘎、唧嘎、喀答、喀答，
　蒸汽冒出来了！
嘟——火车载你进入梦乡。

梦里有好长好长的旅途
和好多好多恐龙蛋。
梦里有跑得好快好快的白马
在好高好高的天上。

"现在谁是不睡觉世界冠军？"
黛拉小声问。

霹雳鼠抬起头说："我是……去……
睡觉的……世界冠军。"

说完，他闭上了眼睛。

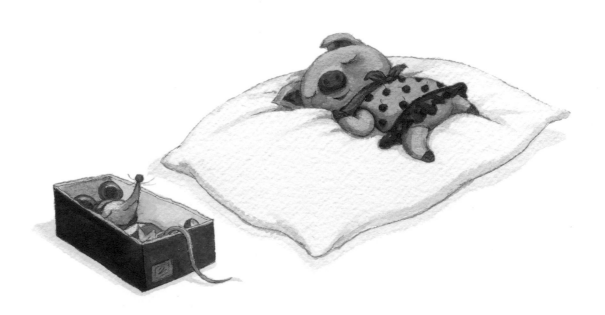

这下，只剩下豆豆蛙了。　　　　　　　　　　他有没有睡着呢？

没有。
完全没有。
他又开始
跳、跳、跳。

"还有几年才到
我的生日呢？"
他问黛拉。

黛拉小声说："天啊！
我不相信你还醒着！"

"我相信！"豆豆蛙呱呱叫，
"不睡觉世界冠军应该是我！"

"可以。"黛拉说，

于是，黛拉把他放进装玩具的篮子里。

豆豆蛙问："你可以把篮子
幻想成别的东西吗？"

真的……

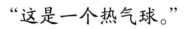
"这是一个热气球。"

星舰号气球
　飞得又远又高，
把所有的烦恼
　通通忘掉。

像安静的雪花
　在空中飘浮，
往上飘、往上飘，
　越来越高。

高过云端，
　快快喊停，
假如你要
　跳、跳、跳。

是什么一闪一闪
　环绕着你？
是天空的项链
　亮晶晶。

黛拉看了看。豆豆蛙躺着，他的头枕在手臂上。

没有呱。没有叫。没有跳、跳、跳。

"他们全都睡着了。"黛拉小声说。

她抱着他们，一个接一个，上床睡觉。

所以，不睡觉世界冠军

应该是黛拉。

也可能不是。